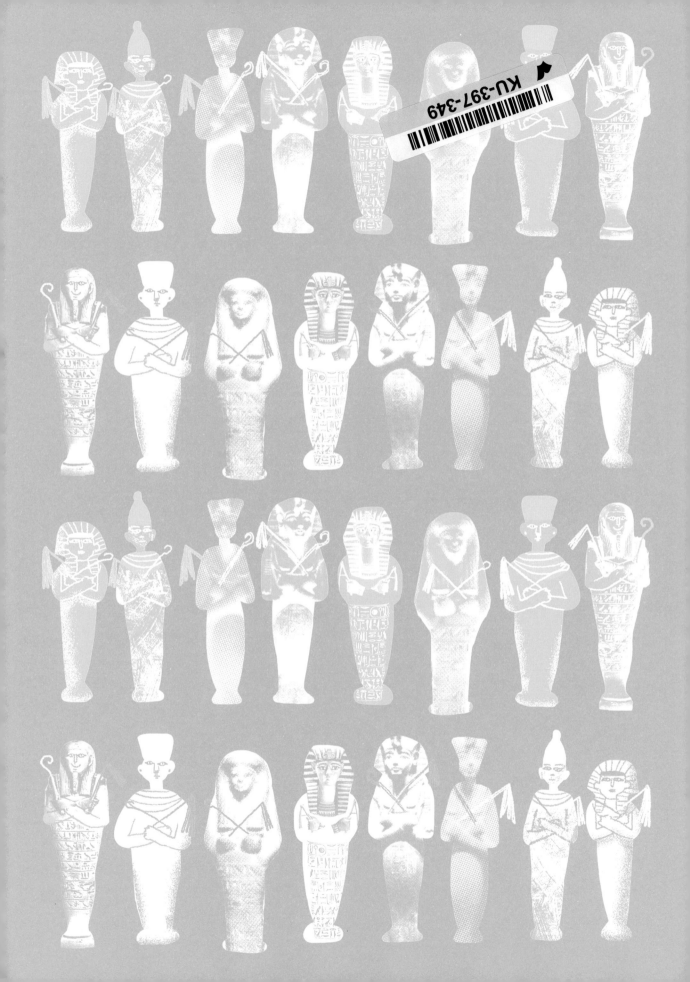

EL FARAÓN TUTANKAMÓN

¡LO CUENTA TODO!

Para Ciarán
C.N.

A mis hijos, Lucca y Vicente.
Vosotros sois mi verdadero tesoro
G.K.

EL FARAÓN TUTANKAMÓN

¡LO CUENTA TODO!

Chris Naunton

ILUSTRADO POR
Guilherme Karsten

IDEAKA
EDELVIVES

ÍNDICE

EN EL MUSEO

TUMBA DEL FARAÓN TUTANKAMÓN
1323 a. C.

Este espectacular ataúd pertenece a la 18.ª dinastía del antiguo Egipto. Contiene los restos momificados de Tutankamón, el faraón conocido como el rey niño, ya que falleció con solo 18 años. Aquí se le ve rodeado de sus *shabtis* (una palabra que significa «los que responden»).

HOLA, SOY
TUTANKAMÓN
· · · · · · · · · · ·

Querido lector:

Quizá hayas oído hablar de mí por algunos conocidísimos sucesos, como las excavaciones de Howard Carter en el Valle de los Reyes o el saqueo de tumbas en Egipto. Pero ahora te abro las puertas a mi vida en el más allá.

Desde mi prematura muerte en 1323 a. C., no he dejado de recibir visitas: turistas sacando selfis, egiptólogos haciéndome pruebas y niños que preguntan de todo. ¡No dejan de interrumpirme! ¡Y yo debería estar pensando tranquilamente en cómo voy a reencarnarme!

En las siguientes páginas te contaré detalles increíbles y sorprendentes de mi vida en el antiguo Egipto. Y te los voy a desvelar tal y como los he vivido, con risas y algunas lágrimas… Aunque te aseguro que vas a terminar postrado ante mí. Por algo soy nada menos que el faraón Tutankamón.

Atentamente,
Tut XX

ÉRASE UNA VEZ...
EN EL
ANTIGUO EGIPTO

Aunque solo sea un adolescente,
el pueblo de Egipto me teme.
Soy el rey de reyes y gobierno
el reino más rico del mundo.
Fíjate en cómo es nuestra vida...

VERANO TODO EL AÑO

Mi familia reside en el desierto del Sahara y alrededores
desde hace siglos. Aquí se vive un verano perpetuo.
Los templos y palacios están pensados para mantener
fresco el interior, y nuestro aire acondicionado se acciona
por fuentes renovables (vamos, por los criados).

VIVIR JUNTO AL RÍO

Aparte de unas vistas preciosas, establecerse
a orillas del río Nilo ofrece muchas ventajas.
Cuando se desborda, riega gratis los campos,
lo cual es bueno para las cosechas.

TRABAJADORES A TUTIPLÉN

Cada año el Nilo inunda y fertiliza el terreno. Y para
que los agricultores no se aburran mientras sus campos
están anegados, a mis antepasados se les ocurrió que podían
transportar 2 millones de bloques de piedra hasta el corazón
del desierto. ¿Ves esa pirámide? Se necesitaron 50 000
personas y 20 años para construirla. ¡Migajas!

SOY EL MÁS RICO DEL MUNDO

En el antiguo Egipto no existe el dinero, pero, aun así,
nadamos en la abundancia. Soy tan rico que jamás
uso dos veces los mismos zapatos. A mi lado
Bill Gates y Jeff Bezos son unos pringados.

CÓMO ME CONVERTÍ EN **EL REY NIÑO**

Mi familia está majareta. Hemos gobernado Egipto durante siglos (que ya tiene lo suyo), pero la cadena de sucesos que hizo que me coronasen con 9 años es el colmo...

Recuerdo de **EGIPTO**

❶ FALLECE EL ABUELO

El faraón Amenhotep III, mi abuelo, muere antes de que yo nazca. Construyó cosas impresionantes, como el templo de Luxor, en Tebas. Lo sucede el faraón Akenatón (no estoy muy seguro de que sea mi verdadero padre, pero me gusta llamarlo «papá»).

❷ NOS MUDAMOS

Todo va bien... hasta que papá decide construir una ciudad completamente nueva, Aketatón (ahora la llamáis Amarna), y traslada allí a toda la población de Tebas y a la familia, incluida la abuela Tiy.

❸ LA ABUELA ENFERMA

Mi abuela Tiy es genial,
aunque impone un poco.
A muchos no les cae bien,
pero es mi preferida de la
familia (aún guardo un mechón
de su pelo en una cajita).
Que se pusiera enferma fue
muy duro para mí.

❹ NO HAY SITIO EN LA TUMBA

Cuando la abuela fallece, papá ordena:
—Quiero que la entierren conmigo, en Amarna.
Pero Hatiay, su constructor, le contesta:
—Lo lamento, pero no queda espacio en la tumba...
A lo que papá responde:
—Es mi madre y yo soy el rey; apáñatelas.

❺ LA ABUELA HA MUERTO DE VERDAD

Hacen hueco a la abuela
Tiy en en la tumba real,
junto al lugar que ocupará
papá. Lo decoran con
grabados de personas
llorando, y a ella la cubren
con varias capillas, igual
que a una muñeca rusa.
Entonces es cuando soy
consciente de lo que ha
pasado: la abuela ha muerto.

6 PAPÁ SE INVENTA UNA RELIGIÓN

¿Te he contado que papá también decidió cambiar nuestra religión? Antes de trasladar a la población a una ciudad nueva inventó un nuevo culto e hizo que todos adorásemos a Atón, el disco solar. Los dioses más queridos, como Amón o Mut, se sintieron abandonados. Por eso, para muchos fue un alivio que papá muriera. A fin de cuentas, el poder de los dioses es mayor que el de cualquier rey. ¡Incluso que el mío!

HOLA, me llamo ~~NEFERTITI~~

NEFERNEFERUATÓN

7 LA CRISIS DE MAMÁ

Al morir papá, lo sucede mi madrastra Neferneferuatón-Nefertiti. Pero sufre una crisis de identidad y se acorta el nombre a un sencillo «Neferneferuatón», que contiene la palabra «Atón». Así todos sabrán que nuestro dios desea que sea la reina (no tiene nada que ver con que sea la única que queda viva, ehhh).

8 DE VUELTA A TEBAS

Empiezan a convencer a Neferneferuatón de que todo debería ser como antes, así que hacemos las maletas y nos mudamos otra vez a Tebas. Pero, por algún motivo (seguro que fue un simple despiste), nos dejamos las momias de papá y de la abuela.

TEBAS

MUDANZAS Más Allá

9 FARAÓN A LOS 9 AÑOS

Para colmo, Neferneferuatón fallece, y me convierto en rey ¡CON 9 AÑOS! No dejo de pensar en papá y la abuela, lejos, solos…, y decido ir a por ellos.

10 POPULARIDAD POR LOS SUELOS

Cuando llego al trono, papá es muy impopular. Los sacerdotes que antes lo obedecían sin rechistar, ahora dicen que no les gustaban sus innovaciones. Por eso tengo que ser cuidadoso cuando traslado las tumbas de papá y la abuela a Tebas, y pongo mi sello real en cada objeto para que nadie toque nada.

11 ROBAN A LA ABUELA

Al fin papá y la abuela descansan en una pequeña tumba en el Valle de los Reyes, rodeados de todas las pertenencias que conseguimos meter. Pero ¿puedes creer que los ladrones lograron colarse dentro, robar todo lo de valor, desenvolver a la abuela y meterla en otra tumba? No le debió hacer ni pizca de gracia.

¡CÓMO SE ATREVEN!

AQUÍ MANDO YO

Por si aún no lo has pillado, ¡soy el soberano del mundo entero! (al menos del que yo conozco). ¿Quieres un consejillo? Deja que tus antepasados y tus enemigos te hagan todo el trabajo.

APROVECHA LAS VICTORIAS DEL ABUELO

Mis antepasados hicieron grandes conquistas, sobre todo mi tataratataratatarabuelo Tutmosis III. Empezó apoderándose de un reino llamado Naharin, al este de Egipto, y ya no supo parar. Terminó sometiendo 350 ciudades en zonas de la actual Palestina, Israel, Jordania, Líbano, Siria, Iraq y Turquía, además de Sudán (al sur de Egipto). Nuestro imperio es inmenso.

DESPLUMA A TUS ENEMIGOS

Lo de tener enemigos tampoco está tan mal, sobre todo si puedes aplastarlos y robarles sus inventos. Por ejemplo: gracias a los hicsos conseguimos caballos, carros, hondas, jabalinas y bumeranes. Y de los nubios aprendimos a combatir con unos novedosos arcos y flechas. Sin quererlo, nos ayudaron a dominar el mundo. ¡Gracias, colegas!

¡EH! ¡ESE ARCO ES MÍO!

SI PUEDES EVITARLO, NO LUCHES

Sé pelear, pero rara vez lo hago. Desde que me convertí en faraón, mi mayor preocupación ha sido restablecer el orden tras el enojo que causó papá. Y como en el más allá también te tienes que enfrentar con enemigos, prefiero aprovechar mi tiempo en este mundo para pasarlo bien sin que me hagan daño. Además, con esas mortíferas dagas de metal que han inventado, ¿quién querría luchar pudiendo evitarlo?

UNA MUERTE PREMATURA

Pese a mi poder y mis riquezas, sigo siendo
un ser humano; y me tocó fallecer muy joven.
¿Que cómo morí? ¡Ja! ¡Ya te gustaría saberlo!

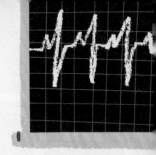

TEORÍA 1: **ASESINATO**

Según un anatomista, alguien me dio un golpe
en la cabeza. ¡Como si fuera a dejar que uno
de mis enemigos se me acercase! ¿Seguro
que el agujero de mi cráneo no se debe
a un arqueólogo manazas?

TEORÍA 2: **ACCIDENTE DE CARRO**

Otra teoría muy popular
es que mi muerte se
debió a un accidente de
carro. Vaaaleee, admito
que no soy el mejor
conductor, pero eso...

TEORÍA 3:
PIE ZAMBO

Varios expertos en medicina se basan en estudios genéticos para afirmar que mi muerte estuvo relacionada con un defecto del pie. Bueno, la medicina egipcia no era tan avanzada como la actual, pero tener un pie zambo no hubiera acabado conmigo...

TEORÍA 4:
UNA RODILLA HERIDA

Los arqueólogos observaron una lesión en la rodilla y decidieron que tuvo que ser lo que me mató. ¿Nunca has tenido una herida en las rodillas? ¿Y a que sigues vivito y coleando? Pues eso.

Y LA VERDAD ES...

Puedes seguir intentando averiguar el motivo de mi muerte, pero yo no te lo voy a contar. A los egipcios nos interesa mucho más la vida en este mundo y la eternidad en el más allá que cómo hemos muerto, así que ¡déjalo ya!

19

UNA CHAPUZA DE ENTIERRO

Cuando te entierran, te envuelven en capas y capas, como si fueras un regalo gigante. Pero como mi muerte fue de sopetón, se improvisó un poco...

1 ¡BUSCAD UNA TUMBA!

Había planeado una tumba mucho más grande para mí, pero fallecí antes de que la acabasen y tuvieron que enterrarme en la de otro. ¡Y es diminuta! ¡Solo tiene cuatro salas!

2 FABRICAD VARIOS ATAÚDES

Mi ataúd en realidad se compone de tres, uno dentro de otro. Primero metieron mi cuerpo en un ataúd de oro macizo. Ese lo colocaron dentro de otro de madera revestido de oro, el cual sellaron y guardaron en un tercer ataúd, también recubierto de oro.

❸ RECICLAD UN SARCÓFAGO

Los sacerdotes y funcionarios a cargo de mi entierro tuvieron que improvisar y decidieron reutilizar el sarcófago (la caja de piedra) de otro. Al meter mi ataúd, se dieron cuenta de que no cabían los pies. ¿Cómo lo arreglaron? SERRANDO ese extremo. Las astillas del fondo del sarcófago lo demuestran.

❹ CUBRIDLO CON CAPILLAS

A continuación, cubrieron el sarcófago con cuatro capillas doradas —que son como casetas—, una dentro de otra.

❺ ENCAJADLO EN LA CÁMARA

Después de todo esto, ocupo casi lo mismo que la cámara funeraria, así que cuesta un poco meterme dentro... Solo queda espacio para una persona muyyy delgadita de perfil.

EQUIPAJE PARA EL MÁS ALLÁ

El más allá no consiste en echarse una siestecita y ya. ¡Que es la vida eterna! Menos mal que mis parientes me llenan la tumba con todo lo que pueden. Pasa y te lo enseño...

UN CATRE

Vale, no es el colmo de la comodidad, pero es portátil y cualquier cosa es mejor que dormir en el suelo. Está hecho de una soga ecológica (¡por supuesto!) que han tejido unos patéticos criados. ¡Uy!, quiero decir..., unos artesanos.

BASTONES

Se supone que estos bastones son para mi vejez, pero por su culpa todos los arqueólogos asumen que no puedo caminar bien. ¡Que tengo 18 años, no 80!

LO ÚLTIMO EN ARMAS

Arcos, flechas, escudos… blablablá.
Lo de siempre. Eso sí, espera a ver las
dagas… Esta es de **hierro**. ¿Conoces el
material? ¡Es increíble, durísimo, lo más!
Ideal para ahuyentar a los que intentan
asaltar las tumbas.

CARROS VELOCES

Al ser el faraón, tengo
enemigos aquí, allí y hasta en
el más allá. Por suerte, a mis
parientes se les ocurrió
enterrar conmigo el medio
para huir: carros. Y encima
están decorados con imágenes
de mis enemigos atados.
Una buena advertencia, ¿no?

EL VIAJE AL MÁS ALLÁ

Para llegar al más allá no basta con irte de este mundo (o que te manden al otro). Hay que hacer todo un viaje. Por suerte, los muros de la sala funeraria me van indicando el camino.

1 NO TE OLVIDES DE RESPIRAR

El sacerdote que embalsama tu cuerpo antes de enterrarlo también hace magia. Puedes comer, beber y hasta respirar ¡después de muerto! Tu espíritu viajará hasta el más allá, mientras tu momia se queda en la tumba. Es posible que tu espíritu quiera volver para descansar un poco, así que no dejes de respirar.

2 BUSCA A OSIRIS

El más allá está en un lugar llamado Duat. Busca allí al dios Osiris (no tiene pérdida: es el de la piel verde). Él pesará tu corazón en una balanza y te juzgará. Más te vale ir preparado.

③ SIGUE AL SOL

Por suerte, mis enterradores colocaron la tumba en la dirección correcta: con la cabeza hacia el oeste. Cada día el dios Ra atraviesa el cielo de este a oeste. Luego va mas allá del horizonte y pasa la noche viajando en una barca. ¡No la pierdas de vista!

Los doce babuinos del mural me indican que tardaré doce horas en llegar; las mismas que pasa Ra viajando durante la noche.

¿Por qué Ra tiene pinta de escarabajo?

Los dioses egipcios pueden encarnarse en más de un ser a la vez. ¿Has visto alguna imagen de un escarabajo haciendo rodar una pelota de estiércol? Pues el sol también es una pelota que un escarabajo (el dios Ra) empuja por el cielo a diario. ¡Así de fácil!

④ PIENSA EN POSITIVO

El viaje es largo, de modo que es importante partir con una mentalidad positiva. Y mirar estas imágenes me pone las pilas.

Aquí estoy con Nut, la diosa del cielo, toda una celebridad.

NUT + YO
(¡Vaya día!)

OSi + YO + (mi otro) YO

En esta abrazo a mi colega Osiris y ¡a mi otro yo! (Mi otro yo es mi espíritu, o ka, que se quedará en la tumba, aunque yo me vaya a buscar a Osiris).

TOTAL LOOK

No sé de dónde ha salido eso de que las momias van por ahí liadas en unas vendas cutres. ¡Menuda vulgaridad! Si te van a juzgar en la otra vida, hay que vestirse como un triunfador.

MI CAMISETA FAVORITA

Nada mejor que esta túnica para decir «aquí mando yo». Es de lino; así no me sofoco cuando me enfado con los criados. En el cuello y los bordes lleva diseños de Siria (otro país insignificante que me ha «donado» ideas y tesoros). Soy un cosmopolita.

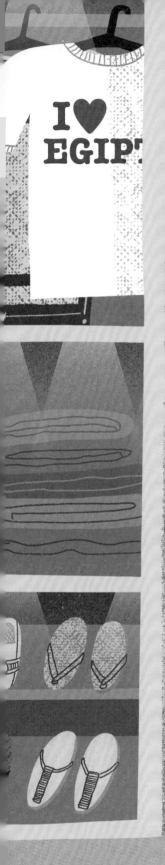

BRILLI BRILLI

¿Y qué joyas me pongo? Puf, con tantas, me cuesta decidirme. De niño me chiflaban los pendientes, pero ya soy mayor para eso... Mejor un pectoral; más adulto. Pero ¿cuál?, ¿el halcón con las alas extendidas o el escarabajo?

PAÑOS MENORES

¡Bendito Ra! Acabo de recordar que mis calzoncillos viejos están en la tumba. ¡Qué horror! Espero que ese arqueólogo, Howard Carter, no los encuentre, porque lo documenta TODO.

PISANDO FUERTE

Adoro los zapatos. Conservo todos los que he tenido desde niño. Algunos están como nuevos. Mira, estos tienen dibujados a los enemigos de Egipto en la plantilla. Así los pisoteo cada vez que camino. Puede sonar un poco bestia, pero parte de mi trabajo consiste en conquistar a todos los pueblos que pueda. ¡Voy pisando fuerte!

SEGURIDAD ESPIRITUAL

¿Qué cómo estoy tan tranquilo estando muerto? ¡Chupado! Me rodeo de personas de confianza que no querrían matarme (porque se puede morir dos veces).

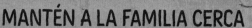

MANTÉN A LA FAMILIA CERCA

Cuando tu familia tiene tantos enemigos, es mejor casarte con alguien que sea menos probable que quiera apuñalarte por la espalda. Yo estoy casado con mi hermanastra Anjesenamón. Y la quiero tanto que tengo su retrato en el trono. Sí, mi hermanastra, ¿tan raro te parece?

MENSAJES DE ADVERTENCIA

Las patas de todas mis sillas, camas y divanes llevan tallada la zarpa de un león. El aviso resulta obvio: «O me respetas o te hago trizas».

CUIDADO CON EL ~~PERRO~~ DIOS

Este es mi dios guardián, Anubis (en realidad es un chacal). Se encarga de la momificación y ayuda a Osiris a juzgar si mereces alcanzar el más allá. Cuidadito con él.

«Yo impido que entre arena... Estoy aquí para proteger al difunto...».

SIGO SIENDO UN *GOURMET*

Que me hayan extraído el estómago no implica que mi ka (vamos, mi espíritu) no sienta hambre. Además, ¿quién podría resistirse a semejante banquete?

HAZ QUE TE ENTIERREN CON UN CHEF

Mi equipo funerario ha hecho un trabajo excelente y ha llenado mi tumba de manjares. Aunque si escasean los platos, basta con ordenar a mis shabtis que preparen pan y cerveza con la cebada y el trigo farro.

UNA DIETA RICA EN FIBRA

La fruta y la verdura son tan importantes en el más allá como en este mundo. Mis provisiones incluyen garbanzos, lentejas y guisantes secos. Como condimento: enebro, cilantro, fenogreco, sésamo y comino. Y de postre, distintos tipos de dátiles, uvas pasas, azufaifas y almendras. ¡Qué rico!

PLATO DEL DÍA

Mi equipo funerario identificó con esmero las 48 cajas de carne, pero no sé por qué se mezclaron. Un lío. Aunque también es una sorpresa cada vez que abro una. ¿Qué habrá hoy para comer: ternera, cabrito, pato o ganso?

VINO DULCE | Elaborado por Nakhtsobek
Casa de Atón, Nilo occidental

VINO DE GRANADA | Elaborado por Nakht
Casa de Atón, Tajru

CARTA DE VINOS

La mayoría de los egipcios consumen cerveza, pero mis gustos son más refinados… Tengo más de 50 jarras de vino; algunos de ellos los ha elaborado Kha, mi vinatero personal, en los viñedos reales de Tebas.

¿Quién ha roto la trompeta?

En Inglaterra, a un idiota se le ocurrió la osadía de tocar mi trompeta de plata en una emision en directo por radio. ¡Y se la cargó! ¡Pero si es que lleva años dominar este instrumento!

MÚSICA, POR FAVOR

Los shabtis son de lo más socorrido. Si me apetece animar la velada, les doy estas castañuelas, un sistro (parecido a vuestra pandereta) y unas trompetas y ¡que empiece la fiesta!

PARA SER FELIZ EN EL MÁS ALLÁ

Mis acciones en la Tierra pueden interpretarse mal e ir en mi contra, así que me he tomado la molestia de preparar unos conjuros mágicos que predispongan a los dioses a mi favor.

ESCRITO EN PAPIRO

Llevo tiempo preparando una edición personalizada del Libro de los Muertos, escrita en un rollo de papiro de 6 metros. Incluye todos los hechizos que necesito para protegerme durante el viaje al más allá y para disfrutar a tope de la vida eterna.

IMAGEN DEL PARAÍSO

He dado instrucciones al mejor escriba del reino sobre cómo dibujar Aaru, el Campo de Juncos. En el más allá todos quieren vivir en Aaru, así que, cuanto mejor sea mi dibujo, más posibilidades tendré de conseguir un lugar único en el paraíso.

DEMOSTRARÉ QUE SOY PERFECTO

Osiris me juzgará con justicia, pero quiero asegurarme de que se acuerda de lo buenísimo que he sido. Cuando lo vea voy a utilizar este conjuro:

«¡Saludos, gran dios! Sé quién eres. He venido a contarte toda la verdad, sin mentirijillas. Jamás he mentido, no he arruinado a nadie, no he hecho nada malo, no he hecho pasar hambre ni llorar a nadie...».
Y así sigo un buen rato.

¿Que han olvidado quééé?
¡Los sacerdotes se han olvidado de enterrarme con mi libro de hechizos! ¿Cómo voy a sobrevivir en el más allá sin él?

MI TUMBA, SEPULTADA

La mayoría de la gente cree que en el desierto no llueve jamás, pero ahora la lluvia es tan fuerte que inunda por completo el Valle de los Reyes.

UNA UBICACIÓN PRIVILEGIADA

El Valle de los Reyes es el lugar del desierto donde nos entierran a todos los faraones; es un cementerio real gigantesco. Tiene una ubicación privilegiada: lejos del concurrido río Nilo, con sus templos y palacios, pero cerca de las montañas occidentales, donde se pone el sol y habita Osiris.

ENTERRADO POR PARTIDA DOBLE

Poco después de mi entierro comienza a llover en las montañas y se inunda el valle. ¡Menos mal que la puerta está sellada! El agua deposita montones de piedras y tierra en la entrada a mi tumba, que queda completamente sepultada. Ahora sí que nadie sabe dónde encontrarme.

AGLOMERACIÓN EN EL DESIERTO

El valle ya estaba concurrido, pero tras la inundación cuesta todavía más distinguir dónde termina una tumba y empieza otra. Sin querer, los trabajadores del rey Sethnajt se meten en la tumba del rey Amenmeses mientras construyen un pasillo. ¡Uy! Luego los obreros de Ramsés VI colocan las cabañas de los trabajadores justo encima de mi tumba... ¡y su entrada queda en el mismo sitio que la mía!

LA VISITA DE HOWARD CARTER

Llevaba siglos durmiendo tan a gustito en el más allá,
cuando Howard Carter viene y me desentierra en 1922.
¿Cómo me voy a poner? ¡Como una furia!

❶ COMIENZA LA EXCAVACIÓN

A principios del siglo XX, los
arqueólogos inician la excavación
en el Valle de los Reyes en busca
de tumbas. Cuando han llegado
casi casi a la mía, creen que ya
las han encontrado todas.
Pero el británico Howard Carter
no lo tiene tan claro...

❷ CALIENTE CALIENTE

Howard Carter lleva siete años excavando,
buscándome precisamente a mí. ¡Puf!
Primero encuentra algunos de mis
objetos. Luego descubre las cabañas
sobre la tumba de Ramsés VI, y eso
lo anima a cavar más hondo.

❸ LAS ESCALERAS DELATORAS

El 4 de noviembre de 1922, de repente, cesa el ruido de los trabajadores. Me temo que ya sé el motivo: han encontrado la escalera que lleva a mi tumba. Retiran los escombros de los peldaños y descubren la entrada.

❹ NO MOLESTAR

La entrada a mi tumba está sellada. A cualquiera le quedaría claro que no es bienvenido, pero ¡díselo tú a Carter! Reconoce los símbolos del cementerio real estampados en el sello de arcilla de la puerta y sigue adelante.

❺ ALLANAMIENTO DE MORADA

Howard Carter espera tres semanas a que su jefe, lord Carnarvon, llegue desde Inglaterra para entrar en mi tumba. Para entonces, un grupo de funcionarios egipcios se ha congregado allí y descubren dos cosas: que mi nombre aparece en los jeroglíficos de la puerta y que alguien ya ha entrado...

SAQUEADORES DE TUMBAS

Howard Carter no fue el primero en colarse en mi tumba.

SAQUEADOR 1

Acababa de coger el sueño cuando entró el primero. No se quedó mucho, solo hizo un poco de ruido y se marchó. Eso fue antes de las inundaciones.

SAQUEADOR 2

Este se llevó muchas de mis maravillosas joyas. El necio pensó que las vendería fácilmente y lo pillaron. Y menudo fue el castigo: lo azotaron en las plantas de los pies y luego lo empalaron en una estaca. ¡Auuuch!

DISEÑO ANTIRROBOS

Las tumbas están diseñadas para despistar a los ladrones. Los constructores idean pasillos que no llevan a ningún lado, salas vacías, muros falsos que ocultan las cámaras funerarias y camuflan las entradas con pedruscos enormes. Y, a pesar de todo, los rateros consiguen entrar.

SAQUEADOR 3

Cuando Howard Carter se dio cuenta de que habían entrado antes que él, ¿crees que le preocupó que me faltase algún objeto imprescindible en el más allá? Nooo. Le molestó que tras tantos años excavando no le hubiesen dejado los tesoros. ¿Acaso no sabe que soy rico hasta decir basta? A pesar de tanto robo, sigo forrado.

SAQUEADOR 4

Años después de que Carter concluyera su excavación, entran de nuevo los ladrones para llevarse lo que queda. ¿Sabes lo peor? Que estropearon mi momia y me rompieron las costillas. ¡Dejadme en paz!

TESORO

6'6"
6'0"
5'6"
5'0"
4'6"
4'0"

SALTO A LA FAMA

Gracias a Howard Carter, me hago aún más famoso de lo que era.
El mundo entero se rinde a mis pies.

EN PRIMERA PLANA

Mi nombre acapara todos los titulares:
«Descubrimiento extraordinario en Egipto»,
«Hallada la mayor tumba de Egipto hasta la
fecha», «El ataúd de oro de Tutankamón».
Aunque la idea de que Howard Carter
me ha «descubierto» es para partirse.
Yo siempre he sabido dónde estaba.

ESTRELLA DE CINE

La imagen que más se conoce de mí es la de mi
máscara funeraria. Estoy tan estupendo con ella,
que me convierto de inmediato en una estrella
de cine e inspiro un sinfín de historias sobre
el antiguo Egipto, momias y saqueos.

UNA ATRACCIÓN TURÍSTICA

Incluso antes de analizar su contenido, mi tumba se convierte en una atracción turística. Lord Carnarvon decide vender la primicia de su contenido al periódico londinense *The Times*. Así financiará la investigación y no vendrán más reporteros a cotillear.

LA MALDICIÓN DE LA MOMIA

Seis meses después de descubrir mi tumba, lord Carnarvon muere por la picadura de un mosquito. No se les ocurre otra cosa que pensar que los conjuros de mi tumba son maldiciones y asumen que ¡yo he provocado su muerte! Así nace la leyenda de la maldición de la momia.

PICADURA MORTAL

LA MALDICIÓN DE TUTANKAMÓN

LAS INTIMIDADES DEL
FARAÓN TUTANKAMÓN

Debemos a nuestra práctica de la momificación que mis restos se hayan conservado así de bien.

CÓMO PREPARAR UNA MOMIA

1 Haz un corte en el costado del cadáver y extrae todos los órganos salvo el corazón. Guarda cada uno en un vaso canope.

2 Mete una varilla por la nariz. Bate el cerebro y déjalo escurrir por las fosas nasales.

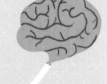

3 Rellena y frota el cuerpo con natrón (un tipo de sal). Déjalo secar 40 días.

Sal de momia

4 Sustituye el natrón por serrín y lino. Unta el cuerpo con aceites y envuélvelo con vendas de lino.

Aceite de faraón

DESNUDO DEL TODO

Cuando Howard Carter me halló, me retiraron todo cuanto me cubría: desde la capilla exterior hasta las vendas. Solo me dejaron el collar y la cinta de cuentas de la cabeza (es que no pudieron quitarlas porque se me han pegado a la piel). Me siento indefenso.

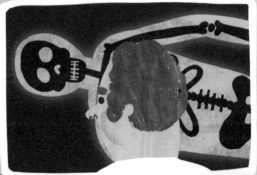

VOY A SER INMORTAL

Aunque me cubren cuando hay visitas, los egiptólogos insisten en desvestirme cada dos por tres para hacerme radiografías y TACs. ¡Mira cómo me tienen! Aunque he de admitir que verme en esta pantalla tiene su gracia. Es justo lo que siempre quise: ser el faraón más famoso y vivir para siempre.

EL IMPERIO EGIPCIO

¡Aquí mando YO!

CILICIA

ASIRIA

SIRIA

MESOPOTAMIA

Mar Mediterráneo

CANAÁN

• DAMASCO

GAZA

Mar Muerto

SINAÍ

Pirámides de Guiza

HELIÓPOLIS

MENFIS

ARABIA

HERACLEÓPOLIS

Desierto oriental

Desierto occidental

Río Nilo

LIBIA

Valle de los Reyes

Templo de Luxor

TEBAS

ELEFANTINA

Desierto de Nubia

Mar Rojo

KUSH

N

NAPATA

PUNT

(bajo influencia egipcia)

Imperio egipcio durante el reinado de Tutankamón

JEROGLÍFICOS EGIPCIOS

Los jeroglíficos son unos símbolos pictográficos que en el antiguo Egipto se usaban para escribir. Hay más de 700 en total, así que tienes que ser un fenómeno de escriba para conocerlos todos.

CÓMO SE ESCRIBE MI NOMBRE

Lo más importante es mi nombre. Lo forman tres palabras egipcias: «tut», «ank» y «Amón». «Tut» significa «imagen»; «ank», «vida» o «vivo», y «Amón» es el nombre del dios más poderoso. Por lo que mi nombre significa «la imagen viva de Amón».

¡Es cierto! Soy como un dios

Amón   tut   ank

OTROS DE MIS JEROGLÍFICOS FAVORITOS

SI

El símbolo de «hombre». Se escribe tras los nombres masculinos.

SIT

El símbolo de «mujer». Se escribe tras los nombres femeninos.

MAAT

El símbolo de «diosa». Se trata de Maat y lleva una pluma en la cabeza. La visteis en la página 29.

MESHA

El símbolo de «arquero con arco y flechas». También se emplea para palabras como «ejército».

MIW

El símbolo de «gato». ¿A que suena igual que un maullido?

EM

El símbolo de «búho». Se usa para escribir la letra «m» y puede significar «en» o «como».

BU

El símbolo del «elefante». Se usa para escribir «marfil», el material del que están hechos sus colmillos.

UDJAT

El símbolo del «ojo del dios Horus». Da buena suerte, ya que Horus te protege.

GLOSARIO

18.ª dinastía. Nombre del período en el que reinaron Tutankamón y su familia, que va desde 1539 a. C. hasta 1292 a. C.

Anatomista. Persona que estudia el cuerpo y las partes que lo componen.

Antiguo Egipto. Civilización del noreste de África famosa por su arte y sus monumentos. Perduró casi 3000 años, desde 2925 a. C. hasta 145 a. C.

Arqueólogo. Persona que estudia las artes, monumentos y objetos de la antigüedad, especialmente a través de sus restos.

Artesano. Persona que fabrica algo a mano.

Cámara funeraria. Habitación, dentro de la tumba, en la que se deposita la momia.

Capilla. Lugar donde se guardan los restos mortales o la estatua de una persona importante o sagrada, como un dios.

Chacal. Especie de perro salvaje cuyo hábitat se encuentra en África y el sureste de Asia.

Egiptólogo. Persona que estudia el antiguo Egipto.

Embalsamar. Proceso de conservación de un cadáver con productos químicos.

Equipo funerario. Grupo de personas que organizan el entierro de una persona.

Escarabajo pelotero. Escarabajo que se nutre de pelotas del estiércol de otros animales. En el antiguo Egipto simbolizaba a Ra, dios del sol.

Escriba. Persona que escribía a mano documentos oficiales.

Eterno. Algo que dura para siempre.

Faraón. Soberano del antiguo Egipto.

Genética. El estudio de los genes, que son los que transmiten la información al cuerpo para crecer y desarrollarse. Los genes determinan muchas cosas, como, por ejemplo, el color del cabello.

Jeroglíficos. Símbolos pictográficos que representan palabras y sonidos. En el antiguo Egipto se usaban para escribir.

Libro de hechizos. Rollo de papiro con conjuros.

Libro de los Muertos. Papiro con conjuros para la protección de una persona en su viaje al más allá.

Más allá. Según algunas religiones, lugar donde transcurre una segunda vida, después de morir.

Máscara funeraria. Máscara con la que se cubre el rostro de un difunto.

Maza. Arma en forma de palo usada para golpear.

Momia. Cadáver purificado y embalsamado para evitar su putrefacción.

Momificación. Proceso por el cual se crea una momia a partir de un cadáver.

Natrón. Mezcla de sales que se emplea durante la momificación para secar un cadáver y detener su descomposición.

Papiro. Material similar al papel que se utilizaba en el antiguo Egipto. Se elaboraba a partir de la planta con el mismo nombre.

Pectoral. Artículo de joyería que cubre el pecho.

Pie zambo. Anomalía de uno o ambos pies que provoca que se giren hacia dentro, lo que dificulta caminar y puede causar dolor. Actualmente se trata con terapia y cirugía menor.

Pirámide. Monumento arquitectónico de forma piramidal que se empleaba como sepulcro. En Egipto, las más famosas señalan dónde se enterró a la realeza, pero ya en la época de Tutankamón solo se utilizaban por quienes no pertenecían a la familia real.

Religión. Conjunto de creencias, normas y ritos para rendir culto a una divinidad.

Saqueador de tumbas. Persona que entra en una tumba para robar objetos de su interior.

Sarcófago. Ataúd de piedra.

Sepulcro. Obra, generalmente de piedra, que se eleva sobre el suelo, donde se da sepultura a una o más personas.

Sello. Disco de arcilla o de cera derretida que se coloca sobre un sobre, cordel o cinta para sellarlo.

Shabti. Figurilla que se enterraba en la tumba de un fallecido en el antiguo Egipto.

TAC. Son las siglas de tomografía axial computarizada. Se trata de una prueba médica diagnóstica que ofrece como resultado imágenes seriadas de secciones de un órgano o tejido a lo largo de un eje, y que permite ver órganos, vasos sanguíneos y huesos.

Trigo farro. Variedad de trigo empleada en la antigüedad para preparar alimentos, pan y cerveza.

Túnica. Prenda de vestir que va desde los hombros hasta la cintura o las rodillas.

Vaso canope. Recipiente que se utilizaba en el antiguo Egipto para almacenar los órganos momificados de un cadáver.

ÍNDICE ALFABÉTICO

Chris Naunton es un reconocido egiptólogo y escritor de Londres (Reino Unido). Ha escrito muchos libros, entre otros *Searching for the Lost Tombs of Egypt* y *Cuadernos de notas de los egiptólogos*. Ha estado en Egipto tantas veces que ha perdido la cuenta.

Guilherme Karsten es un ilustrador de Blumenau (Brasil). Ha ilustrado más de 30 libros infantiles y ha recibido numerosos premios por su obra.

MIXTO
Papel procedente de fuentes responsables
FSC® C008047

Traducido por Pepa Arbelo

Título original: *King Tutankhamun Tells All!*
Publicado por primera vez en el Reino Unido
por Thames & Hudson Ltd. en 2021

Diseño de Sarah Malley
© Del texto: Chris Naunton, 2021
© De las ilustraciones: Guilherme Karsten, 2021
© De esta edición: Grupo Editorial Luis Vives, 2022

ISBN: 978-84-140-3590-0
Depósito legal: Z 1660-2021

Impreso en China

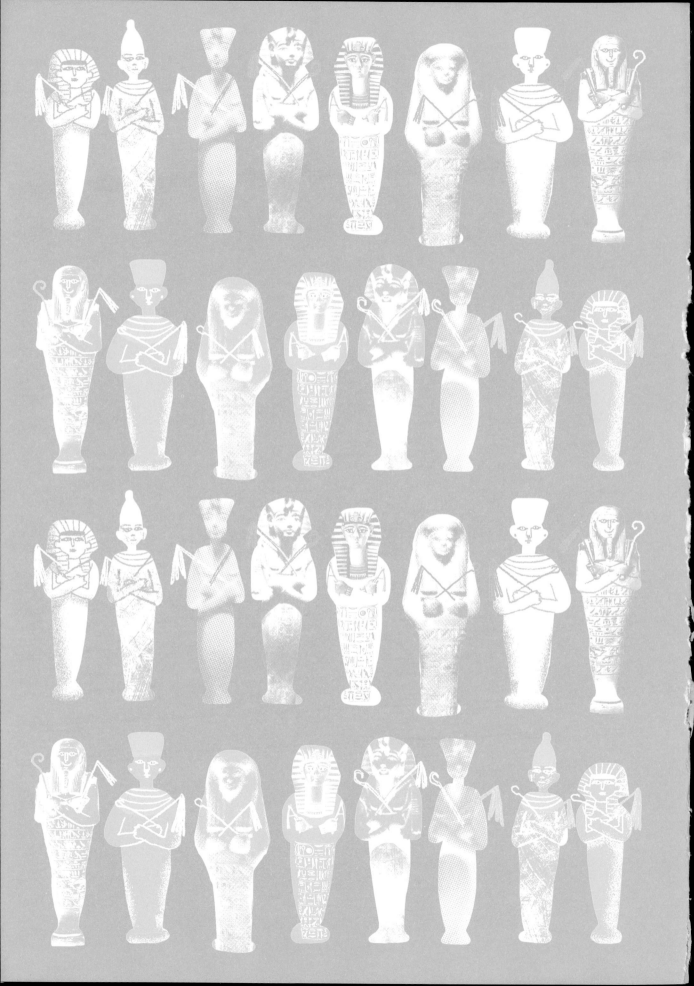